Greifswald

Greifswald

Ein Portrait – A Portrait – Ett Porträtt

Eckhard Oberdörfer (Text)
Volker Schrader (Fotos)

EDITION TEMMEN

Die Deutsche Bibliothek –
CIP-Einheitsaufnahme

Greifswald : ein Portrait. -
Bremen : Ed. Temmen, 2002
(Stadtportraits)
ISBN 3-86108-497-X

Eckhard Oberdörfer (Text)
Volker Schrader (Fotos)
Übersetzung
Nancy Schrauf (Englisch)
Eivor Wichmann (Schwedisch)
Bildnachweis:
Foto Peters Greifswald 13, 27, 32
Petra Hirsch 62
alle übrigen Bilder stammen von
Volker Schrader

© Edition Temmen

Hohenlohestr. 21 – 28209 Bremen
Tel. 0421-34843-0 – Fax 0421-348094
Email: info@edition-temmen.de

Gesamtherstellung: Edition Temmen

ISBN 3-86108-497-X

Greifswald

Ein Portrait

Hanse- und Universitätsstadt

Caspar David Friedrich gab der Silhouette Greifswalds Unsterblichkeit. Für den von Stralsund kommenden Reisenden taucht die von den drei gotischen Backsteinkirchen beherrschte Hansestadt wie ehedem hinter den Wiesen auf. Ganz anders das Bild von der Neubrandenburger Seite. Nach der Wende erschlossene Gewerbegebiete prägen das Bild ebenso mit wie die Neubauviertel, die im Zuge der Industrialisierung zu DDR-Zeiten entstanden. Und wer von Loitz über Dersekow anreist, erlebt das Schauspiel des Platzwechsels von St. Jakobi, St. Nikolai und St. Marien.

Stadtgeschichte auf kurzem Wege ist besonders deutlich von der Stralsunder Seite zu erleben. Hier lagen die Salzquellen im Rosenthal, die von großer Bedeutung für den Markt waren, aus dem sich die Stadt entwickelte.

In der Stralsunder Vorstadt steht das frühere Gesellschaftshaus »Zum Greif«. Dahinter feierten die alten Greifswalder zuletzt ihr bedeutendstes Volksfest, den Schwedenulk. Hermann Löns, einst Student in Greifswald, hat dieses mehrtägige

A Portrait

Hanseatic and university city

Caspar David Friedrich immortalised the silhouette of Greifswald. For travellers coming form Stralsund, the Hansa city's skyline, dominated by its three Gothic brick churches, rises from the meadows just as it must have in former times. Very different indeed is the approach from the New Brandenburg side. There, the new area built during the industrialisation of the D.D.R. and a post-Unification shopping mall form the view. Meanwhile, whoever arrives from the direction of Loitz over Dersekow, will have the spectacle of the shifting church steeples of St. Jakobi, St. Nikolai, and St. Marien as he travels towards the city.

Again, from the Stralsund side, the approaching traveller will enjoy an easy lesson in local history. On this side, lie the salt mines of Rosenthal which provided the original source of income upon which the city developed.

The traditional gathering place »zum Greif« stands now in a suburb of Stralsund. Earlier, the people of Greifswald would celebrate their most important local festival,

Ett Porträtt

Hanse- och universitetsstad

Målaren Caspar David Friedrich har gjort Greifswalds silhuett odödlig. För den, som kommer resande från Stralsund, dyker hansestaden med de tre gotiska tegelstenkyrkorna, nu som då, upp bakom ängarna. Helt annorlunda ser det ut när man närmar sig från Neubrandenburg. Industriområdena från tiden före och efter den politiska vändpunkten år 1989 präglar bilden. Kommer man från Loitz och Derserow passerar kyrkorna St. Jakobi, St. Nikolai och St. Marien revy.

Stadshistoria i korthet kan man uppleva på Stralsundsidan. Här låg saltkällorna i Rosenthal, en förutsättning för stadens utveckling.

I Stralsundförstaden står det förra societetshuset »Zum Greif«. Bakom det brukade invånarna fira sin berömda folkfest »Schwedenulk«, »Svenskskojet«. Författaren Hermann Löns, engång student i Greifswald, har beskrivit festen, som pågår i flera dagar med mycket ståhej.

Bara några meter vidare kommer man till Greifswalds lilla å Ryck. Den är uppdämd fram till Steinbecker Brücke. Detta är den

Schützenfest mit großem Rummel eindrucksvoll beschrieben.

Nur ein paar Meter weiter, und das Greifswalder Flüsschen, der Ryck, ist erreicht. Er ist bis zur Steinbecker Brücke aufgestaut. Es ist der alte Stadthafen, in den auch im Mittelalter nur kleinere Fahrzeuge mit geringem Tiefgang einlaufen konnten. Heute dient er als Liegeplatz der Museumsschiffe. Der Stadthafen liegt im Ortsteil Ladebow an der Dänischen Wiek. Nach den Visionen der Stadtplaner soll das Umfeld des Museumshafens nach Fertigstellung der Ortsumgehung stärker den Charakter einer Bummelmeile bekommen. Mit einer Fußgängerbrücke über den Ryck hin zu den neuen Häusern am Fluss, der denkmalgeschützten Buchholz- und der modernen Yachtwerft. Und womöglich gar zu Grachten.

Greifswald hat im Jahr 2000 sein 750. Stadtjubiläum gefeiert und ist noch jung und voller Ideen geblieben.

Sechs breite Straßen führen vom Ryck in Richtung der drei zentralen Altstadt-Achsen: der Loeffler-, der Langen- und der Domstraße. Für die Zeit um 1230 haben die Archäologen die ersten Siedlungsspuren im Bereich der Altstadt nachgewiesen. Die Marktsiedlung des um 1199 gegründeten Zisterzienserklosters Hilda lag damals im Grenzraum des Fürstentums Rügen und des Herzogtums Pommern und wurde von allen drei Mächten in gewisser Weise gefördert. 1250 verlieh Herzog Wartislaw III. Greifswald das Lübische Stadtrecht. Nachdem die Rügenfürsten 1324 ausstarben, hat Greifswald in den kriegerischen Auseinandersetzungen maßgeb-

the »Schwedenulk« there. Former Greifswald student Hermann Löns vividly described this »Schützenfest« in which the local gun club would sponsor several days of dancing, drinking, and shooting contests for themselves and the village.

Greifwald's stream, the Ryck, is only a few meters further on. The river is nowadays dammed to the level of the Steinbecker Bridge, where, in the Middle Ages, the old city harbour was located. Then, as now, only small vessels could venture into these shallow waters. Today, museum ships are moored there. The working harbour for modern Greifswald is on the Danish Wiek River in the city sector of Ladebow.

After completion of a new road circumventing the old harbour, city planners envision a picturesque shopping and strolling area with a footbridge leading over to the new riverside houses, to the historic houses of Buchholtz, the yacht manufactory, and perhaps all the way to Grachten. Though Greifswald celebrated its 750th birthday in the year 2000, it remains young at heart and full of creative ideas.

Six wide streets lead from the Ryck to the old city center's three main crossings at Loefflerstreet, Langenstreet, and Domstreet. Archeologists have dated the city's first traces of settlement at approximately 1230. The market settlement of the Cistercian Cloister of Hilda, founded in 1199, lay at the border between the dukedom of Rügen and the grand dukedom of Pommern, and was supported by all of the surrounding powers. Greifswald acquired its city rights from Duke Wartislaw III in 1250. After the extinction of the Dukes of

gamla stadshamnen, som sedan medeltiden bara mindre farkoster utan större djupgång kan gå i. Idag ligger museumsskeppen här. Stadshamnen befinner sig i Ladebow vid Dänische Wiek. I stadsplanerarnas visioner skall området kring museumshamnen, efter att trafiken har letts om, mera få karaktären av flanerstråk – med en fotgängarbro över Ryck till de nya husen vid ån, kulturminnesmärket Buchholz-varvet och det moderna jaktvarvet.

Greifswald firade år 2000 sitt 750-årsjubileum som stad, men är fortfarande ungt och rikt på ideer.

Sex breda gator leder från Ryck mot de tre centrala stråken i gamla stan, Loeffler-, Lange- och Domstraße. Arkeologer har påvisat spår av bebyggelse från omkring år 1230 just här. Handelsplatsen, som hörde till cistiernserklostret Hilda från år 1199, låg då mittemellan furstendömet Rügen och hertigdömet Pommern och blev gynnat av alla tre makterna. År 1250 tilldelade hertig Wartislaw III Greifswald stadsrätt. Efter att rügenfurstarna år 1324 dött ut, sörjde de styrande i staden för att hertigarna från Pommern, och inte de från Mecklenburg, blev tronföljare. Till slutet av 1400-talet är samhällshistorian otänkbar utan den mäktiga hansan. I staden vid Ryck beslöt man den år 1361 om militära aktioner mot Danmarks kung Waldemar IV Atterdag. Det förde till freden i Starlsund, stadsförbundets mest strålande seger.

Den medeltida händelse som spelat den största rollen för dagens Greifswald var universitetets grundande år 1456, nordeuropas äldsta efter Rostock. Den historiska händelsen ägde rum i St. Nikolai, och

lich mit dafür gesorgt, dass die Pommern-herzöge und nicht die Mecklenburger die Nachfolge der Rügenfürsten antraten. Bis zum Ende des 15. Jahrhunderts ist die Geschichte des Gemeinwesens nicht ohne den mächtigsten deutschen Städtebund, die Hanse, denkbar. In der Ryck-Stadt beschloss die Hanse 1361 militärische Aktionen gegen den Dänenkönig Walde-mar IV. Atterdag. Sie mündeten 1370 im Stralsunder Frieden, dem glanzvollsten Sieg des Städtebundes.

Das für das heutige Greifswald wichtigste Ereignis der mittelalterlichen Stadtgeschichte war die Gründung der Universität im Jahre 1456, der nach Rostock zweitältesten Nordeuropas. In St. Nikolai fand der historische Gründungsakt statt, in St. Marien steht der Gedenkstein für Bürgermeister Heinrich Rubenow, den spiritus rector der Gründung. An erster Stelle unter den architektonischen Zeugnissen der 546-jährigen Geschichte der Hohen Schule steht das sogenannte Hauptgebäude, das 1747 bis 1750 nach Plänen des Universitätsprofessors Andreas Mayer erbaut wurde.

Zu diesem Zeitpunkt war der Schwedenkönig bereits als deutscher Reichsfürst Herzog von Pommern und damit Landesherr. Das pommersche Greifengeschlecht starb 1637 aus, und im Westfälischen Frieden wurde das Land am Meer unter Brandenburgern und Schweden geteilt. Nur kurze Zeit hatten die Dänen 1716 bis 1720 im Nordischen Krieg das Sagen. Richtig schwedisch wurde der bei den drei Kronen verbliebene Rest Pommerns erst 1806 mit dem Staatsstreich Gustav IV. Adolf.

Rügen, the people of Greifswald placed themselves on the side of the Dukes of Pommern to ensure that they, and not the Dukes of Mecklenburg, should replace Greifswald's former overlords. Until the end of the 15th Century, the community's history was much-influenced by that mightiest of city alliances, the Hanseatic League. It was here that the league decided, in 1361, to take military action against the Danish king Waldemar IV Atterdag. This ended with the »Peace of Stralsund« – the Hanseatic League's most brilliant victory – in 1370.

For Greifswald today, the most important event in Medieval city history was the founding of the university in 1456. After Rostock, Greifswald University is the oldest in Northern Europe. The historic founding ceremony took place in the St. Nikolai Church, while the monument honouring Mayor Heinrich Rubenow, the founding rector of the university, is in the Church of St. Marien. Among the historic architectural monuments of the 546-year-old university is the so-called »Main Building,« built between 1747 and 1750 by university professor Andreas Mayer.

At this point, the Swedish king was also the Duke of Pommern and thus, lord of that German realm. The ruling family of Pommern had died out in 1637 and, according to the »Peace of Westphalia,« the coastland was then divided between Brandenburg and Sweden. For a brief period, during the Nordic War between 1716 and 1720, the Danes had control. Only in 1806 did the remainder of the original three-crowned Pommern become completely Swedish,

i St. Marien kan man se Heinrich Rubenows minnessten. På första plats bland de arkitektoniska minnesmärkena i högskolans historia står huvudbyggnaden från år 1747-50 efter Andreas Mayers planer.

Vid den tidpunkten var redan den svenske kungen i egenskap av tysk riksfurste också hertig av Pommern och därmed landsherre. Den pommerksa greifensläkten dog ut år 1637, och i Freden i Westfalen delades landet mellan Brandenburg och Sverige. Bara en kort tid, år 1716-1720, dominerade Danmark i Nordiska Kriget. Helt svensk blev den rest av Pommern som stod under de tre kronorna först genom Gustav IV Adolfs statskupp år 1806.

Genom de franska besättningarna var tillhörigheten till Sverige bara ett kort intermezzo innan Preussarna år 1815 fick också den sista biten av Pommern, nämligen Neuvorpommern och Rügen – med en tjugoårig övergångstid som specialstatus.

Tack vare integrationen i en betydligt större enhet upplevde Greifswald en uppblomstring. Hohenzollerntiden präglade överallt stadsbilden med neo- och jugendstilbyggnader. Från och med mitten av 1800-talet uppstod på Friedrich-Loeffler- och Rubenowstraße många tegelstensbyggnader.

Genom den kamplösa kapitulationen, när röda armén övertog makten den 30 April 1945, överstod Greifswald andra världskriget oskatt. Tragiskt nog omkom en hel rad män från stadsförvaltningen, universitetsledningen och militären i sovjetiska läger. Genom förlusten av största delen av Pommern och speciellt Stettin, försämrade sig läget. Å andra sidan blev Greifswald

Durch die französischen Besetzungen war die staatsrechtliche Zugehörigkeit zu Schweden nur ein kurzes Zwischenspiel, bevor die Preußen 1815 auch das letzte Stück Pommerns, nämlich Neuvorpommern und Rügen, bekamen. Mit einer 20-jährigen Übergangszeit mit Sonderstatus. Dank der Integration in ein viel größeres Umfeld erlebte Greifswald einen starken Aufschwung. Die Herrschaftszeit der Hohenzollern prägte nicht nur außerhalb der Altstadt mit Neostil- und Jugendstilbauten das Stadtbild. Ab Mitte des 19. Jahrhunderts entstand namentlich in der Friedrich-Loeffler-Straße und der Rubenowstraße eine größere Zahl von stattlichen Klinkerbauten für die Universität.

Greifswald hat dank der kampflosen Übergabe an die sowjetische Armee am 30. April 1945 den Zweiten Weltkrieg unzerstört überstanden. Es gehört zur Tragik der Geschichte, dass eine ganze Reihe der maßgeblich beteiligten Männer, die zur Stadtverwaltung, der Universitätsleitung und zum Militär gehörten, in sowjetischen Lagern umkamen.

Durch den Verlust des größten Teils von Pommern, besonders aber von Stettin, verschlechterten sich nach dem Zweiten Weltkrieg die Standortbedingungen. Auf der anderen Seite wurde Greifswald in der Folge Sitz des Bischofs der Pommerschen evangelischen Kirche und einer Reichsbahndirektion. Die DDR rüstete die Stadt industriell auf. An erster Stelle sind das Nachrichtenelektronikwerk (heute Siemens) und das Kernkraftwerk Nord bei Lubmin zu nennen, mit deren Aufbau 1967 begonnen wurde. In jenem Jahr zähl-

with the coup of Gustav IV Adolf. However, as a result of the French occupation, Sweden's reign became a mere interlude before the Prussians arrived in 1815, to take the last bits of Pommern, namely Neuvorpommern and Rügen, in the course of a 20-year transitional period during which the area had special status.

Thanks to its integration into a much larger unit, Greifswald experienced a great surge of development. The Neostyl and Jugendstyl architecture popular during the reign of the Hohenzollerns influenced building all over the city. As of the mid-1800s, a large number of brick houses were erected on Loeffler Street and Rubenow Street.

On April 30, 1945, Greifswald capitulated to the Russian Army without a struggle. Because of this, the city survived World War II undamaged. Meanwhile, the deaths of numerous city and university administrators and employees interned subsequently in Russian prison camps belongs among the many tragedies of history.

With the loss of most of Pommern, and especially Stettin, the area's economic chances declined significantly, though Greifswald did acquire the administrative centre for the Evangelical Church of Pommern and a main office of the federal railways. Further development during D.D.R. times included industrial projects such as an espionage electronics factory, now Siemens, and the Atomic Power Plant North at Lubmin, built starting in 1967. At that time, the population of Greifswald was 47,000 – by 1983, inhabitants numbered 63,000. In the 1970s and '80s, the city's profile was changed decidedly by a modernisa-

säte för Pommerska Evangeliska Kyrkans biskop och en riksjärnvägsdirektion. DDR byggde upp industrin i staden. På första plats måste man nämna f.d. Nachrichtenelektronikwerk, idag Siemens, och kärnkraftverket Lubmin, som påbörjades år 1967. Då hade Greifswald 47.000 invånare, år 1983 var det 63.000. På 70- och 80-talet förändrades stadsbilden av tidstypiska men, sedda med dagens ögon, relativt acceptabla nybyggen, t. ex. mellan Hafen- och Langer Strasse. DDR, som led brist på pengar, material och kapacitet, lät folk flytta till de nybyggda kvarteren och rev ner den gamla bebyggelsen. Genom den politiska vändpunkten kunde åtminstone torget och en del värdefulla byggnader räddas. Nu hyser staden igen en hel rad av Mecklenburg-Vorpommerns justitieinstanser. Jurydomstolens byggnad från år 1898/99, som under DDR-tiden tjänade som ministerium för statssäkerhet, strålar nu i ny glans.

Universitet, domstolar och yrkesskolor står för Greifswalds framtid.

Framtid symboliserar också institutioner som Siemens, Technologiezentrum och Max-Planck-Institut, där en fusionsreaktor, »Wendelstein«, utvecklas. Stadsdelen Insel Riems förknippar man med djursjukdomsforskning och Friedrich Loeffler, som upptäckte mul- och klövsjukan.

De lokala skönheterna i Greifswald heter Eldena och Wieck, två förorter. Efter cistercienserklostret Hilda från år 1199 står ännu ståtliga tegelstensruiner kvar, som tack var Friedrich Wilhelm IV och Caspar David Friedrichs målningar från 1800-talet räddades från att bli rivna. Idag är

te Greifswald 47.000 Einwohner, 1983 waren es 63.000.

In den siebziger und achtziger Jahren des 20. Jahrhunderts hat die zunächst erträgliche und durchaus architektonisch ansprechende Modernisierung mit angepassten Plattenbauten, wie sie im Quartier Marienstraße zu sehen ist, vor allem im Bereich zwischen Hafen- und Langer Straße das Bild der Stadt entscheidend verändert. Die von Finanznöten, fehlendem Material und fehlenden Kapazitäten geplagte DDR zog Häuser leer, ließ die Bewohner in die Neubauviertel ziehen. Die Abrissbirne folgte. Die Wende kam noch gerade rechtzeitig, um wenigstens den Markt und andere wertvolle Bauten zu retten. Mit der Ansiedlung von Verwaltungs-, Oberverwaltungs- und Finanzgericht sowie dem Verfassungsgericht Mecklenburg-Vorpommerns knüpft die Boddenstadt an die bedeutenden Zeiten als Hort der Justitia an. Das zu DDR-Zeiten vom Ministerium für Staatssicherheit genutzte 1898/99 errichtete Schwurgerichtsgebäude erstrahlt in neuem Glanz. Konsistorium, Hofgericht(e), Oberappellationsgericht und Oberlandesgericht hatten schon vor 1945 in der Boddenstadt ihren Sitz.

Universität, Gerichte, Berufliche Schulen sichern ein Stück Greifswalder Zukunft. Zukunft verkörpern auch Betriebe wie Siemens, das Technologiezentrum und das Max-Planck-Institut, in dem bis 2006 der Aufbau des Experimental-Fusionsreaktors »Wendelstein« erfolgt. Der Stadtteil Insel Riems verbindet die große, vom Entdecker des Maul- und Klauenseuche-Virus, Friedrich Loeffler, begründete Tradi-

tion project in which a series of concrete block buildings, not unattractive or inappropriate all in all, was built in the Marien Street Quarter, particularly in the area between the harbour and Langer Street. The D.D.R. administration, plagued by debt and lack of materials or capacities, forced people to vacate the older houses and live in the new ones. The wrecking ball followed inexorably. Unification came just in time to save at least the Marktplatz and several valuable historic buildings.

When the Superior Administrative Court and Financial Court, as well as the Supreme Court of Mecklenburg-Vorpommern moved to Greifswald, the city regained a place in the flow of modern events, as a seat of justice. The former court building has been beautifully renovated. Constructed in 1898/99, the building had already housed the Counsel of Cardinals, Ducal Court, Superior Appellate Court, and High Court of the Land long before 1945. During D.D.R. times, it served as the State Security Agency.

The university, courts, and various trade and professional schools all assure Greifswald's economic future. Further assurances may be seen in such institutions as Siemens, the Technology Centre, and the Max Planck Institute, at which the experimental fusion reactor »Wendelstein« should be completed by 2006. The Riems Island quarter, meanwhile, is associated with Friedrich Loeffler, discoverer of the virus that causes foot and mouth disease in livestock. This tradition of veterinary disease research continues with the current development of the Federal Research

de bekanta långt över Greifswalds gränser för sina »Jazz Evenings«. Här kan man också uppleva festivalen Nordischer Klang och Bachveckorna. Wiek med sin klaffbro, sina vasstäckta hus, sina båtar och skepp är en trivsam maritim kuliss för den årligen återkommande fiskarfesten.

tion der Forschung auf dem Gebiet der Tierkrankheiten mit dem Ausbau als Bundesforschungsanstalt für Tierseuchen.

Greifswalder Schönheiten sind die Vororte Eldena und Wieck. Vom Zisterzienserkloster Hilda blieben im Stadtteil Eldena großartige Backsteinruinen, die dank der Malkunst Caspar David Friedrichs und des Interesses Friedrich Wilhelm IV. im 19. Jahrhundert vor dem endgültigen Abriss bewahrt wurden. Heute haben sie sich als Ort der Eldenaer Jazz Evenings weit über Greifswalds Grenzen hinaus einen Namen gemacht. Sie sind, wie z.B. auch das Festival Nordischer Klang und die Bach-Wochen, eine der vielen Möglichkeiten, Kunstgenuss zu erleben.

Wieck verkörpert dank der ursprünglich 1886 errichteten Klapp-Brücke, der rohrgedeckten Häuser, der Boote und Schiffe maritimes Flair in der Bodden-Variante. Hierhin zieht es im Sommer alljährlich Massen zum derzeit populärsten Volksfest, dem Fischerfest.

Eckhard Oberdörfer

Institute for Animal Epidemics.

Other attractions of Greifswald include the suburbs of Eldena and Wieck. There, thanks to the art of Caspar David Friedrichs and the interest of Friedrich Willhelm IV. in the 19th Century, the magnificent ruins of the Cistercian Cloister of Hilda, founded in 1199, were saved from complete destruction. Today, this is a popular venue for numerous concert events – the Eldenaer Jazz Evenings, the Northern Sound Festival, and the Bach Weeks Festival, among other artistic enjoyments – and is well-known far beyond the local borders of Greifswald.

Thanks to the drawbridge built in 1886, the thatched houses, and the boats and ships, Wieck has a characteristic Boddenland maritime flair. Every year, it is the scene of one of the most popular folk festivals of this time, the »Fischerfest.«

Neben dem Rathaus liegt der Fisch-markt, der von der Nikolaikirche über-ragt wird.

The Fish Market lies between the tow-ering Nikolai Church and the City Hall.

Bredvid rådhuset ligger Fischmarkt, do-minerat av Nikolaikirche.

11

St. Nikolai, seit der Universitätsgründung Kollegiatkirche und nach dem Ende des zweiten Weltkrieges zur pommerschen Bischofskirche avanciert, wurde in den Jahren 1824 bis 1832 unter der Leitung von Gottlieb Christian Giese vollständig renoviert.

Schinkel hatte seinerzeit diese neugotisch-romantische Erneuerung ausdrücklich gut geheißen. Die dadurch geschaffene ein-

The Church of St. Nikolai, college chapel since the founding of the university and seat of the bishops of the Evangelical Church of Pommern during the D.D.R., was completely renewed by Gottlieb Christian Giese between 1824 and 1932.

At the time, Schinkel himself approved these Neo-gothic/Romantic renovations. The well-diffused light which the renovation brought into the Medieval brick sanc-

St. Nikolai, sedan början av DDR-tiden episkopalkyrka i Pommern, blev år 1824-32 under ledning av Gottlieb Christian Giese fullständigt restaurerad.

Schinkel hade på sin tid talat för denna nygotisk-romantiska förnyelse. Det nya ljuset i den gamla tegelstenskyrkan ger St. Nikolai en speciell atmosfär, inte minst tack vare en del dekorativa tillägg i arkitekturen. För träarbetena stod Caspar

heitliche Helligkeit im Innern der mittelalterlichen Backsteinkirche gibt St. Nikolai eine besondere Atmosphäre, zumal das Baudekor mit Kreuzblumen und Krabben phantasievoll ergänzt wurde. Für die Holzarbeiten sorgte der Bruder von Caspar David Friedrich, Christian Friedrich. Heute ist die Kirche auch ein wichtiger Konzertraum, so bei den alljährlichen Bachwochen.

tuary, gives St. Nikolai its special atmosphere. The fantastic decor of flowers and sea creatures completes the picture. The woodwork was created by Christian Friedrich, brother of Caspar David Friedrich. Today, the church also provides one of the principal concert spaces for the »Bach Weeks« music festival.

David Friedrichs bror Christian Friedrich. Idag tjänar kyrkan också som konsertsal, framför allt under de årliga Bachveckorna.

Der Blick vom Dom über den Markt und St. Marien hin zur Dänischen Wiek zeigt auch die Veränderung der Stadt durch Abriss und Neuaufbau ab Mitte der 1970er-Jahre. Er vollzog sich besonders in Richtung Norden. Der mittelalterliche Stadtgrundriss blieb dabei weitgehend erhalten.

The view from the Dom, over the Markt and St. Marien to the Danish town of Wiek shows many of the changes the city has gone through since the mid-1970s. The city has grown especially in the northerly direction. The Medieval foundations of the city, meanwhile, have remained mostly intact.

Utsikten från domkyrkan över torget och St. Marien till Dänische Wiek visar hur rivningar och nybyggen sedan 70-talet har förändrat staden, speciellt åt norr. Den medeltida planritningen har dock bevarats.

Aus der Vogelperspektive bietet sich ein schöner Blick über das von der Universität geprägte Areal im Bereich von Jakobikirche (rechts) und Rubenowstraße. Die Klinkerbauten zeugen von der Förderung der Universität durch die preußische Regierung.

A bird´s eye view allows a beautiful view over the area between Jakobi Chrurch (right) an Rubenow Street, which is dominated by the university. The clinkerbuildings show that the university was formerly supported by the Prussian government.

Ur fägelperspektiv har man en fin utsikt över universitetsområdet i närheten av Jacobikirche och Rubenowstraße. Byggnadernas tillkomst främjades av den preussika regeringen.

Greifswald ist ein bedeutendes Zentrum der Wissenschaft im Nordosten. Vor den Toren der Stadt, in Richtung Anklam, entstand ein Ableger des Max-Planck-Instituts Garching. Der Forschungsreaktor »Wendelstein« soll helfen, den Weg zur Beherrschung der Kernfusion zu ebnen. Viele Greifswalder hoffen auch auf die Ansiedlung des thermonuklearen Fusionsreaktors »ITER« im nahe gelegenen Lubmin.

Greifswald is an important centre for the sciences in North Eastern Germany. Before the gates of the city, in the direction of Anklam, the Max Planck Institute Garching has been established. The Research reactor »Wendelstein« should help pave the way to mastering atomic fusion. Many people of Greifswald hope for the construction of the thermonuclear fusion reactor »ITER« in nearby Lubmin.

Greifswald är ett betydande vetenskapligt centrum i nordöstra Tyskland. Utanför stadsportarna, åt Anklam-hållet, står ett Max-Planck-Institut. Reaktorn »Wendelstein« skall bidra till att jämna vägen för kärnfusion. Många av stadens invånare hoppas också, att den termonukleara fusionsreaktorn »ITER« får sin plats i Lubmin.

Die von den Greifswaldern »dicke Marie« genannte Marienkirche prägt den Eingang zur Fußgängerzone von der Mühlentorstraße in Richtung Schuhhagen.

From Mühlentor Street direction Schuhhagen, at the entry to the pedestrian zone stands the »Fat Marie« – the Church of St. Marien's nickname among locals.

»Dicke Marie«, som ortsborna kallar Marienkirche, präglar början av gågatan från Mühlenhofstraße till Schuhhagen.

Das im Wesentlichen in der ersten Hälfte des 18. Jahrhunderts errichtete Rathaus beherbergt unter den Arkaden die Fremdenverkehrsinformation. Seinen ochsenblutfarbenen Anstrich erhielt es erst in den 1990er Jahren.

The City Hall (*Rathaus*), built for the most part in the first half of the 18th Century, houses the tourist information office. It was first painted ox-blood red in the 1990s.

Rådhuset uppfördes till största delen i slutet av 1700-talet. Under arkaderna ligger turistbyrån. Huset blev målat i oxblodsrött på 1990-talet.

Das Ende der DDR hat den Abriss der historischen Marktnordseite verhindert. Auch die »gute Stube« der Stadt wurde neu und schlicht gestaltet, um die Architektur wirken zu lassen. In den 1980er-Jahren sollte der Markt mit einem Fischerbrunnen von Jo Jastram aufgewertet werden. Widerstände aus der Bevölkerung, die sich gegen den katastrophalen Zustand der Innenstadt richteten, verhinderten das. Erst 1999 erfolgte der Aufbau eines Teils der Figuren auf dem Fischmarkt.

German unification hindered the destruction of the historic north side of the Markt. This »parlour room« of the city has also been renovated. In the 1980s, the Markt area was to be improved with the installation of a fountain by Jo Jastram. Resistance from citizens who felt that renovation of the inner city should have priority temporarily halted the project. Only in 1998 were some of the figures finally installed at the Fish Market.

Genom DDR-erans slut kunde man förhindra att torgets historiska nordsida revs. Stadens s. k. »finrum« fick en ny och enkel gestaltning. På 1980-talet skulle torget få en springbrunn av Jo Jastram, men befolkningen förhindrade det på grund av det katastrofala tillståndet i centrum av staden. Först år 1999 började man ställa upp monument på fisktorget.

Das gotische Haus links gehört zu den prägenden Gebäuden am Markt, eine seiner Mauern stammt sogar aus dem Jahre 1260. Nachdem eine jüdische Kaufmannsfamilie das Gebäude 1886 erwarb, wurde ein Betsaal eingerichtet. Das Nachbarhaus entstand 1772 durch Umbau eines mittelalterlichen Hauses, nach neuen Untersuchungen ist es das älteste der Stadt.

One of the most striking houses on the Marktplatz is the gothic house, the oldest wall of which is from 1260. After being purchased by a Jewish merchant in 1886, it was used as a synagogue. Meanwhile, the oldest house of the city is next door. According to city historians, this is a Medieval house that was altered in 1772 to fit the tastes of the times.

Det gotiska huset hör till de markanta byggnaderna vid torget – en av murarna är från år 1260. Efter att en judisk familj hade köpt huset år 1886 inrättades här en bönsal. Huset intill är från medeltiden och blev ombyggt år 1772. Egentligen är det stadens äldsta hus.

Das Braugasthaus »Zum Alten Fritz« gehört zu den beliebtesten Gaststätten am Markt und erfreut sich auch bei Studenten großer Wertschätzung. Wenn die Frühlingssonne ihre ersten Strahlen schickt, werden Tische auf den zentralen Platz gestellt.

The brewery locale »Zum Alten Fritz« is one of the most popular pubs on the Marktplatz. Students are among its best customers. At the first rays of springtime sun, tables are placed outside on the Marktplatz.

Bryggerikrogen »Zum alten Fritz« hör till de mest omtyckta värdshusen vid torget, inte minst bland studenterna. Strax när vårsolen börjar lysa flyttas borden ut på torget.

Im Greifswald umgebenden Kreis Ostvorpommern hat eine Reihe von Landwirten schon vor der BSE-Krise auf extensive Produktionsmethoden umgestellt. Sie offerieren gemeinsam mit Kollegen aus Nordvorpommern jeden Freitag auf dem einzigen regelmäßigen Ökomarkt Vorpommerns ihre Angebote.

Even before the BSE crisis, many farmers of the East Vorpommern area around Greifswald were implementing so-called »extensive« methods of production. Except for with the »Keimblatt« grocery, these farmers offer the only regular opportunity to by bio-produce in North Vorpommern. Their open market is every Friday.

Redan förre galna ko-krisen hade många jordbrukare från omgivningen ställt om sina produktionsmetoder och erbjuder nu varje fredag sina ekologiska produkter på torget.

St. Spiritus – das frühere Hospital steht für die Kontinuität der Wohlfahrtspflege seit dem Mittelalter. Der Hof mit seinen kleinen Häusern gehört zu den romantischsten Plätzen der Innenstadt und wird gern für Veranstaltungen genutzt. Im Gebäude parallel zur Langen Straße hat jetzt das soziokulturelle Zentrum St. Spiritus seinen Sitz. Es vereint z.B. Kunst, Selbsthilfe und Eine-Welt-Laden unter einem Dach.

The former hospital of St. Spiritus represents a tradition of charity continuous since the Middle Ages. Today used for various cultural events, its courtyard surrounded by little houses is among the most charming places in the city. Offering employment for the handicapped, and art and artefacts under the »one- world« fair trade philosophy, the socio-cultural foundation of St. Spiritus is located in the building parallel to Langen Street.

St. Spiritus – förr sjukhus – är en symbol för socialvård ända sedan medeltiden. Gården med sina små hus hör till de mest romantiska platserna i centrum och användes gärna för olika evenemang. I byggnaden, som ligger parallellt till Lange Straße, befinner sig det soziokulturella centret St. Spiritus. Det förenar t. ex. konst, självhjälp och en u-landsaffär under sitt tak.

Um 1800 entstanden zwei Speicher in der Hunnenstraße, die nach ihrer Restaurierung Glanzpunkte zwischen Loeffler- und Langer Straße sind. Läden zogen ein, Wohnungen wurden eingerichtet.

These two restored warehouses built in 1800 are the architectural high points of Hunnen Street between Loeffler Street and Langer Street. They now house a variety of shops and apartments.

Omkring år 1800 uppstod två magasin på Hunnenstraße, som efter en restaurering har förvandlats till klenoder med affärer och lägenheter.

Zu den originellsten architektonischen Ideen der letzten Jahre gehört das »Wohnen in der Mauer«, das das Motiv der mittelalterlichen Stadtbefestigung aufnimmt. Der 1997 errichtete Backsteinbau bildet mit den kleinen Häusern am Anfang der Domstraße einen reizvollen Komplex.

»Living in the Wall« constitutes one of the most original architectural projects of the past few years, as it draws from thematic elements of the city's Medieval defensive walls. Built in 1997, this brick construction harmonises well with the small houses at the beginning of Dom Street.

Till de originellaste arkitektoniska idéerna under de senaste åren hör »boende i muren«, inspirerat av den medeltida stadsmuren. Tegelstensbyggnaden, som uppfördes år 1997, bildar med sina små hus i början av Domstraße ett attraktivt komplex.

Jahrhunderte auf einem Bild: Hinter dem barocken Hauptgebäude ganz links und dem Ende des 19. Jahrhunderts errichteten Auditorium maximum der Universität ragt der mittelalterliche Dom mit der welschen Haube empor. Die Anlagen im Vordergrund sind eine Oase der Ruhe.

Centuries in one image: beyond the Baroque Main Building and the Auditorium built at the end of the 19th Century rises the Medieval cathedral with its Welsh steeple. The gardens in the foreground are a peaceful oasis.

Olika sekler på en bild. Bakom universitetets huvudbyggnad i barock och auditorium maximum från slutet av 1800-talet reser sig den medeltida domkyrkan med sitt torntak i flera våningar. Allt är inbäddat i lummig grönska.

Mit dem 1965 erschienenen Roman »Die Aula« hat der Schriftsteller Hermann Kant dem ursprünglich als Bibliothek eingerichteten Barocksaal im Universitätshauptgebäude auf seine Art Unsterblichkeit verliehen. Als akademischer Feierort sah die Aula Berühmtheiten vom mecklenburgisch-strelitzschen Herzog Adolf Friedrich IV. (Reuters Durchläuchting) bis Alexander von Humboldt und Olof Palme.

This Baroque hall of the university's Main Building, originally used as the library, was immortalised by author Hermann Kant in his novel *The Aula* published in 1965. This scene of academic ceremony has welcomed prominent figures ranging from Duke Adolf Friedrich IV of Mecklenburg-Strelitz (Reuters Durchläuchtung) to Alexander von Humboldt and Olof Palme.

Med sin roman från år 1965, »Die Aula«, har författaren Hermann Kant gjort barocksalen i universitetets huvudbyggnad odödlig. Ursprungligen var den bibliotek, men idag används den som festsal. Den har sett många berömdheter alltifrån hertig Adolf Friedrich IV och Alexander von Humboldt till Olof Palme.

Das Rubenowdenkmal ist die künstlerische Darstellung der Universitätsgeschichte bis zum 400. Jahrestag der Gründung im Jahre 1856. Das nach einem Entwurf Friedrich August Stülers gegossene Denkmal zeigt im Medaillon den Bürgermeister und Universitätsgründer Heinrich Rubenow. Die vier Standfiguren illustrieren die politische Geschichte, die sitzenden zeigen Größen der Hohen Schule, und zwar für jede der vier klassischen Fakultäten einen Vertreter.

The Rubenow Monument is an artistic depiction of university history up to its 400th jubilee in 1856. The monument, created by August Stülers, presents mayor and university founder Heinrich Rubenow in the central medallion. The four standing figures illustrate political history, while the seated figures represent each of the four classical faculties.

Rubenowmonumentet skildrar universitetets historia fram till 400-årsjubileet år 1856. Monumentet, som är gjutet efter ett utkast av Friedrich August Stüler visar i medaljongen universitetsgrundaren Heinrich Rubenow. De fyra stående figurerna illustrerar den politiska historian, de sittande betydande personligheter – en representant för varje fakultet.

Die Bauten der Kaiserzeit, in der die Förderung der Wissenschaften groß geschrieben wurde, bestimmen das Bild der Rubenowstraße, wie hier das Auditorium maximum und die alte Universitätsbibliothek. Inzwischen ist die neue Bibliothek eingeweiht worden. Auf dem Hof kann man einige der für ganz Greifswald geradezu prägenden Gedenktafeln für bedeutende Wissenschaftler von Ernst Moritz Arndt bis Ernst Zupitza nicht übersehen.

The great auditorium and university library, along with other buildings from the time of the Kaisers (1871-1918), characterise Rubenow Street as a place of learning at that time when the sciences enjoyed generous support. In the courtyard, you cannot miss the plaques dedicated to Greifswald's most important scholars from Ernst Moritz Arndt to Ernst Zupitza.

Byggnaderna från kejsartiden, då vetenskapernas främjande ansågs viktig, präglar Rubenowstraße. Här ser man auditorium maximum och universitetsbiblioteket. På gården finns minnestavlor för betydande vetenskapsmän i alfabetisk ordningsföljd.

Die vor zwei Jahrhunderten begonnene Anatomische Sammlung gehört im großartigen Kunst- und Kulturbesitz der Alma mater gryphiswaldensis zu den Top-Adressen. Auf 350 Quadratmetern gibt es z.B. eine bedeutende Affenschädelsammlung und Skelette großer Tiere wie Kapigiraffe und Python zu sehen.

The anatomical collection, begun over 200 years ago, belongs among the most magnificent artistic and cultural acquisitions of the »Alma Mater Gryphiswaldensis.« These 350 square metres shelter an extensive collection of ape skulls and skeletons of various large animals such as Kapigi giraffes and pythons.

Den för två århundraden sedan påbörjade anatomisk samlingen kan universitetet vara stolt över. Här finns t. ex. en betydande samling apskallar och skelett av stora djur såsom kapigiraffer och pytonormar.

Im 19. Jahrhundert profitierte die Universität Greifswald vom Anschluss an Preußen, insbesondere für die medizinischen Fächer entstanden neue Gebäude zwischen Ryck und heutiger Friedrich-Loeffler-Straße. Dazu gehört das 1855 bezogene Anatomische Institut, dessen Innenräume sehr viel vom Charme der »guten alten Zeit« bewahrt haben.

Greifswald's annexation by Prussia in the 19th Century was a blessing, particularly for the medical school, which acquired a new building located between the Ryck and today's Loeffler Street. The Anatomy Institute was transferred there in 1855. These rooms maintain much of the building's original charm.

På 1800-talet profiterade universitetet i Greifswald av anslutningen till Preussen. Framför allt uppstod nya byggnader för den medicinska fakulteten mellan Ryck och dagens Friedrich-Loeffler-Straße. Till det hör det anatomiska institutet från år 1855, som har bevarat mycket av sin charm från den »gamla goda tiden«.

St. Marien ist die Pfarrkirche der Altstadt. An dem Monumentalbau wurde seit der zweiten Hälfte des 13. Jahrhunderts gebaut. Von der Schützenstraße präsentiert sich der gewaltige, schmuckreiche Ostgiebel der Hallenkirche St. Marien, der in Norddeutschland seinesgleichen sucht, besonders eindrucksvoll.

Unparalleled in Northern Germany, the large and beautiful eastern pediment of the St. Marien Church is especially impressive viewed from Schützen Street.

St. Marien är Gamla stans församlingskyrka. Byggnadsarbetena påbörjades under senare hälften av 1200 – talet. Från Schützenstraße presenterar sig den väldiga utsmyckade östgaveln av St. Marien, unik i norra Tyskland.

Die Kanzel der Marienkirche stammt aus dem Jahre 1587. Die Intarsienarbeiten führte Joachim Mekelenborg aus, der die Entwicklung der christlichen Lehre illustrierte. An der Rückwand des Predigerstuhles sind die Reformatoren Luther, Bugenhagen und Melanchthon, am Aufgang Petrus, Christus, Johannes der Täufer sowie die vier Evangelisten zu sehen.

The pulpit of the Church of St. Marien is from 1587. Joachim Mekelenborg created the inlays illustrating the development of Christian teaching. On the back wall of the minister's seat are figures of the Reformation: Luther, Bugenhagen, and Melanchthon. At the stairs you see Peter, Christ, John the Baptist, and the four Evangelists.

Predikstolen i Marienkirche är från år 1587. Intarsierna är av Joachim Meklenborg och illustrerar den kristna lärans utveckling. På baksidan ser man reformatorerna Luther, Bugenhagen och Melanchton, vid uppgången Petrus, Kristus, Johannes Döparen och de fyra evangelisterna.

Die Wallanlagen zwischen Mensa und Langer Straße sind eine beliebte Bummelmeile. Sie wurden ab 1782 von Befestigungsanlagen zur Flanierstrecke umgestaltet, mit Kastanien, Linden oder seltenen Gehölzen bepflanzt. Die Stele unweit des Bahnhofs ist den im Ersten Weltkrieg gefallenen Kommilitonen der Universität gewidmet, die Inschrift stammt aus den 1990er-Jahren.

Along the old city walls, the section of the park between the university cafeteria and Langer Street is a popular place to stroll. In 1782, this area was transformed from defensive wall to park area complete with chestnut trees, rare shrubs, or linden trees. This stele not far from the train station was dedicated to university students who fell in action during World War I. The inscription was added in the 1990s.

De forna vallanläggningarna mellan universitetets matsal och Lange Straße är ett omtyckt promenadstråk sedan år 1782, då här planterades kastanjer, lindar och även sällsynta tradslag. Minnesvården i närheten av järnvägsstationen är ägnad studenterna, som stupade under första världskriget. Inskriften är från 1990-talet.

Der »kleine Jakob« wird wie St. Marien und St. Nikolai 1280 das erste Mal erwähnt. Das Gotteshaus besticht durch seine Schlichtheit. Ein Stück Geschichte verkörpert der Turm, der 1955 unter ungeklärten Umständen abbrannte. Dieses Ereignis wird meist mit dem gleichzeitigen Streik gegen die Einführung der Militärmedizin in Verbindung gebracht, der bedeutendsten Studentenrebellion der DDR-Geschichte.

Like St. Marien and St. Nikolai, the »Little Jacob« was first mentioned in 1280. This sanctuary is charming for its simplicity. The tower represents a bit of history: in 1955, it burnt down under mysterious circumstances. This is often brought into connection with one of the most significant episodes of student rebellion in the history of the D.D.R., a protest against the introduction of military medicine at the university.

»Der Kleine Jakob« blir som St. Marien och St. Nikolai år 1280 omnämnd för första gången. Helgedomen fascinerar genom sin enkelhet. Tornet representerar en bit historia. År 1955 brann det ner under oklara omständigheter. Möjligtvis fanns ett samband med ett studentuppror, som riktade sig mot DDR-regimen.

Als die Franzosen Vorpommern besetzten (1807/10), wurde die Jakobikirche als Feldbäckerei benutzt, die Ausstattung weitgehend zerstört. Die neugotische Kanzel von 1885 schmücken in den Brüstungsfeldern die Bildnisse der vier Evangelisten.

When Vorpommern was occupied by the French in 1807/10, the Jacob Church was used as a bakery and the interior mostly destroyed. The Neo-gothic pulpit from 1885 is decorated with paintings of the four evangelists.

När fransmännen besatte Pommern år 1807-10 användes Jakobikirche som fältbageri, och inredningen blev i stort sett förstörd. Den nygotiska predikstolen pryds av de fyra evangelisterna.

An die Zeiten des Sol- und Moorbades erinnert das 1881/82 errichtete Kurhaus an der Langen Straße. Die Salzquellen des Rosenthals sollten Greifswald zum Kurort machen. In das zu DDR-Zeiten als Eisenbahner-Klubhaus genutzte Gebäude zogen vor einigen Jahren Gerichte ein.

The sanatorium on Langen Street, erected in 1881/82, recalls the times of moor bathes and solarium. The salt pools of Rosenthal were supposed to make Greifswald a resort. During D.D.R. times, the building was used as a railway worker clubhouse. Nowadays, it is used as a courthouse.

Om tiderna för salt- och gyttsebad påminner kurhuset på Lange Straße, byggt år 1881/82. Saltkällorna i Rosenthal skulle göra Greifswald till en kurort. Sedan några år befinner sig här endel domstolar, under DDR-tiden användes byggnaden som järnvägsklubbhus.

Nur ein kurzes Stück von der Langen Stra-
ße entfernt liegen die Credner-Anlagen mit
Schwanenteich und Liebesinsel. Ein klei-
ner Tierpark lädt zum Verweilen ein.

The Credner Park, with its swan pond and
»Island of love,« lies just a short distance
from Langen Street. A small zoo there in-
vites the visitor to pause a while.

Bara ett stenkast från Lange Straße ligger
Credner-anläggningarna med svandamm
och »kärleksö« (»Liebesinsel«). En liten
djurpark inbjuder till paus.

Am Hansering entwickelt sich der Museumshafen zur Bummelmeile. Insgesamt etwa 40 Schiffe können am Kai festmachen. Der Greifswalder Wirtschaftshafen liegt im Ortsteil Ladebow.

At the Hansa Ring, the Museum Harbour makes for an interesting stroll. The quay can accommodate 40 ships. The modern harbour of Greifswald is located in the city sector of Ladebow.

Vid Hansering blir museumshamnen till flanerstråk. Upp till 40 skepp kann förtöja vid kajen. Greifwalds handelshamn ligger i Ladebow.

Das 1907 als Dampfeisbrecher gebaute Gaststättenschiff Pomeria gehörte zu den ersten Wasserfahrzeugen, die im Museumshafen anlegten. Rechts sieht man das Bootshaus eines Sportvereins, der 1892 als Kaufmännischer Ruderclub Hilda gegründet wurde.

The Pomeria restaurant ship was one of the first vessels to moor at the Museum Harbour. On the right side of the picture, you will see the boat house of a sport club founded in 1892 as the Merchants Rowing Club Hilda.

Krogskeppet Pomeria hörde till de första skeppen i museumshamnen. Till höger ser man ett båtshus, som tillhör roddarklubben Hilda, grundad år 1892.

Form und Inhalt stimmen überein. Das
Botanische Institut an der nach dem Bio-
logie-Professor Julius Münter benannten
Straße ist prächtig begrünt.

The Botanical Institute, located on a street
named for biology professor Julius Münter,
has an appropriately leafy exterior.

Form och innehåll stämmer överens. Bo-
taniska institutet på Julius-Münter-Straße
är helt intäckt av grönska.

Ende des 19. Jahrhunderts erwarb die Universität auf Initiative Julius Münters das Ihlenfeldtsche Gartenlokal und einige Ackerstücke in Bahnhofsnähe und richtete den neuen Botanischen Garten ein. Ein Arboretum gibt es an der Friedrich-Ludwig-Jahn-Straße.

At the end of the 19th Century, upon the initiative of Julius Münters, the university bought the Ihlenfeldt garden café and surrounding fields near the train station, and created the new botanical gardens. There is an arboretum on Friedrich-Ludwig-Jahn Street.

I slutet av 1800-talet köpte universitetet på initiativ av Julius Münter några tomter i närheten av järnvägsstationen och anlade en ny botanisk trädgård. En sådan för träd och buskar finns på Friedrich-Ludwig-Jahn-Straße.

Im Jahr 2000 wurde die Gemäldegalerie des künftigen Pommerschen Landesmuseums in dem vor rund zwei Jahrhunderten als Stadtschule errichteten und nach dem Architekten benannten Quistorp-Bau eingeweiht. Das Bild links von Friedrich Preller d.J. zeigt die Ostseeküste auf der Insel Vilm.

In the year 2000, the picture gallery of the future Pommern State Museum opened in the 200-year-old Quistorp Building, a former state school named for its architect. The picture to the left by Friedrich Preller the Younger, shows the coast of the Baltic on the Island of Vilm.

År 2000 invigdes tavelgalleriet i vad som kommer att bli Pommerns länsmuseum. Byggnaden, som efter arkitekten kallades Quistorp-huset, var ursprungligen en skola. Målningen till vänster av Friedrich Preller d.y. visar östersjökusten på ön Vilm.

Das Bahnhofsgebäude ist in den Lebenserinnerungen vieler Neu-Greifswalder nicht besonders gut weggekommen. Vor 1945 warteten bei Semesterbeginn auf dem Vorplatz die Farbenstudenten, um neue Mitglieder zu werben.

The train station often made a bad impression on new arrivals to Greifswald. Before 1945, university fraternity members would hang around in front of it at the beginning of every semester attempting to get people to join.

Med blandade känslor betraktrar mången järnvägsstationens huvudbyggnad. Här väntade förr nationsstudenterna på att kunna värva nya medlemmar när den nya terminen började.

An vergangene Handelszeiten erinnernde Speicher und historische Wasserfahrzeuge prägen die Silhouette der Stadt von der Salinenstraße.

The warehouses recall the heyday of the merchants, and historic ships shape the city's horizon viewed from Salinen Street.

Magasin och historiska fartyg påminner om förgångna handelstider och präglar stadens silhuett på Salinenstraße.

Wohnen am Yachthafen, mit Blick zur Hansestadt und eigenem Wasserfahrzeug – diesen Traum können sich Greifswalder in der modernen Wohnsiedlung mit Anklängen an skandinavische Gebäude erfüllen.

Living on the yacht harbour with a view of the Hansa city and your own boat–this is a dream the people of Griefswald can fulfill in this modern neighbourhood of Scandinavian-style houses.

Mången dröm om att bo vid jakthamnen, med egen båt och utsikt över hansestaden, går i uppfyllelse i den moderna anläggningen, vars arkitektur är skandinaviskt inspirerad.

Zum großen Teil wurden die prächtigen Fassaden der Ernst-Moritz-Arndt-Straße nach der Wende saniert. Sie zeugen von gehobener Wohnkultur.

Fine style in Ernst-Moritz-Arndt-Street: most of these magnificent facades were renovated after German unification.

En stor del av de ståtliga fasaderna på Ernst-Moritz-Arndt-Straße har blivit sanerade efter år 1989. Idag råder här hög boendekultur.

Vor 1945 prägten die »Farbenstudenten« mit ihren Mützen und Bändern das Bild der Stadt mit. Zu den für die Korporationen in der Kaiserzeit errichteten Häusern gehört der Klinkerbau Arndtstraße 9. Auf Wappenschildern sind noch die Farben der Burschenschaft Germania (Schwarz, Rot, Gold) zu erkennen.

The »Farbenstudenten« fraternity members with their characteristic caps and bands were a common sight before 1945. This brick house at Arndt Street 9 was built for one such brotherhood in the time of the Kaisers (1871-1918). A coat of arms showing the colours black, red and gold recalls the Germania Brotherhood.

Före år 1945 var nationsstudenterna med sina mössor och band typiska för stadsbilden. Ett av studentföreningarnas hus, byggt under kejsartiden, är tegelstensbyggnaden på Arndtstraße 9. Man kann ännu se nationen Germanias färger svart, rött och guld på vapensköldarna.

Das Gebäude Stephanistraße/Ecke Goethestraße beherbergte lange Jahre die Orthopädische Klinik. Greifswald ist in seinen Vorstädten reich an Bauten des 19. Jahrhunderts.

The Orthopaedic Clinic occupied this building on Stephani Street at the corner of Goethe Street for many years. The suburbs of Greifswald have a wealth of 19th Century houses.

I hörnhuset Stephanistraße/Goethestraße befann sig länge en ortopedisk klinik. Greifswalds förorter kann uppvisa många liknande hus från 1800-talet.

Schöne Gärten, geräumige Wohnungen und schmuckreiche Fassaden der Kaiserzeit sind prägend für die Steinstraße. Dem Bahnanschluss 1863 folgte eine Stadterweiterung in der Fleischervorstadt.

Beautiful gardens, spacious apartments and the decorative facades from the Kaisers' Era (1871-1918) characterise Stein Street. A train connection in 1863 facilitated expansion of the city to the suburb of Fleischer.

Vackra trädgårdar, rymliga lägenheter och dekorativa fasader från kejsartiden är typiska för Steinstraße: Staden expanderade till Fleischer-Vorstadt efter att man fått tågförbindelse år 1863.

1915 wurde das Greifswalder Theater eingeweiht. Nach der Wende erfolgte der Zusammenschluss mit Stralsund zum Theater Vorpommern.

Ein Stück entfernt wohnte der bedeutende Diabetesforscher Katsch, der als Chef der Medizinischen Klinik zu den Parlamentären bei der kampflosen Übergabe der Stadt am 30. April 1945 gehörte.

The Greifswald Theatre opened in 1915. After unification, it joined with the Stralsund Theatre to form the Theatre of Vorpommern.

The well-known diabetes researcher Katsch lived just a short distance away. As head of the medical clinic, he was one of the parliamentary members responsible for the surrender of the city on April 30, 1945.

År 1915 invigdes teatern i Greifswald. Efter år 1989 förenades den med Stralsund och blev Theater Vorpommern.

Inte långt härifrån bodde den betydande diabetesforskaren Katsch, som var chef för medicinska kliniken och parlamentär, när staden kapitulerade den 30. April 1945.

DDR-Ministerpräsident Otto Grotewohl brachte zur 500-Jahrfeier 1956 ein Geschenk mit: einen neuen Gebäudekomplex für die 1951 entstandene Mathematisch-Naturwissenschaftliche Fakultät an der Friedrich-Ludwig-Jahn-Straße. Er wurde 1960 eingeweiht. Das Giebeldreieck vereint Hammer, Zirkel und Ährenkranz der DDR mit dem Universitätswappen.

Otto Grotewohl, then D.D.R. president, brought a special birthday present to the university's 500-year celebration in 1956: a new building for the mathematics and natural sciences departments of Friedrich-Ludwig-Jahn Street, founded in 1951. This building opened in 1960. The facade unites the hammer, sickle, and wheat wreath of the D.D.R. with the university's coat of arms.

DDR-statsministern Otto Grotewohl gav till univerisitetets 500-årsjubileum den matematisk-naturvetenskapliga fakulteten ett nytt byggnadskomplex på Friedrich-Ludwig-Jahn-Straße. Invigningen var år 1960. På fasaden ser man DDR-symbolerna hammare, cirkel och axkrans tillsammans med universitetets vapen.

Hoffnungsträger: Das 1996 eingeweihte Biotechnikum an der Rathenaustraße.

Hopes for the future are embodied in the Biotechnikum on Rathenau Street, dedicated in 1996.

Hopp för framtiden: Biotekniska institutet på Rathenau-Straße, invigt år 1996.

Die in gleicher Form 1886 nach holländischem Vorbild entstandene Klappbrücke über den Ryck im Ortsteil Wieck ist eine der meist fotografierten Sehenswürdigkeiten. Die letzte Generalüberholung erfolgte 1993/94.

This drawbridge over the Ryck, recreated from the original Dutch one built in 1886, is one of the most-photographed sights in the Wieck Quarter. It had its last general overhaul in 1993/4.

Klaffbron över Ryck i stadsdelen Wieck är från år 1886 och av holländsk modell. Den är en av de mest fotograferade sevärdheterna. Grundligt inspekterad blev den år 1993/94.

Zum maritimen Flair Wiecks gehören die Fischer, die ihre Ware gleich im Hafen anbieten und nach 1990 eine eigene Gastronomie aufbauten.

The fishermen of Wieck add much to the area's maritime flair. They have always offered their wares directly to the public. After 1990, they began to open their own restaurants and locales.

Till Wiecks maritima flair hör fiskarna, som erbjuder sina varor direkt från båtarna och som sedan 1990 har byggt upp en egen gastronomi.

Ein Wahrzeichen Greifswalds ist die »Greif«, das frühere DDR-Segelschulschiff »Wilhelm Pieck«. Wieck war früher Sitz der Marinetechnikschule (Gebäude rechts), und bietet Liegeplätze für Segler, Fahrgastschiffe und Fischer.

Around the old »Greif«, the former training ship of the D.D.R., the »Wilhelm Pieck,« the former seat of the Marine Technical School (building to the right), sailors, ships and fishermen are all at home.

Hamnen där »Greif«, det förra DDR-skolskeppet »Wilhelm Pieck«, ligger. Byggnaden till höger hyste förr den marintekniska skolan. Vidare kan man beskåda segelbåtar, fiskebåtar och passagerarskepp.

Meerestiere schmecken ganz frisch am
Besten. »Brotfische« der Wiecker sind die
Heringe, die alljährlich zum Laichen in
den Bodden kommen.

No doubt, fresh fish tastes best! Wieck's
»daily bread« are the herring which come
each year to the tidal flats of the Bod-
denland to spawn.

Bäst smakar fisk när den är pinfärsk. Smör-
gåsfisk kallar Wiecksborna strömmingen,
som varje år leker i Bodden.

In Eldena stand die Wiege Greifswalds.
Dort ziehen die – hier die Westseite der
Kirche – eindrucksvollen Ruinen des
Zisterzienserklosters Hilda Besucher
an. Auf der Bühne im südlichen Klau-
surflügel finden alljährlich die Eldenaer
Jazz Evenings statt.

The cradle of Greifswald lies in Eldena,
where the impressive ruins of the former
Cistercian Cloister Hilda–here seen
from the west side–attract many visitors.
The Eldenaer Jazz Evenings take place
here in the enclosed south wing of the
church

I Eldena stod Greifswalds vagga. De im-
ponerande ruinerna av klostret Hilda –
på bilden kyrkans västsida – lockar
många besökare. På en scen i södra
flygeln ordnas varje år »Eldena Jazz
Evenings«.

Von den mittelalterlichen Backsteinge-
bäuden des Klosters in Eldena blieben
nach Aufhebung in Folge der Reformati-
on, nach Verfall und Nutzung als Stein-
bruch nur Ruinen.

After losing its status as a sanctuary as a
result of the Reformation, the Medieval
brick cloister in Eldena decayed and was
pillaged for building materials. All that is
left are ruins.

Efter upphävandet under reformationen
förföll klostret, och av den medeltida tegel-
stensbyggnaden återstår nu bara ruiner.

Der fünfzehneckige Fachwerkbau der Griebenower Kirche aus dem Jahre 1616 sucht weit und breit seinesgleichen. Masken zieren die Holzsäulen. Die Kirche gehört zu einem bemerkenswerten Ensemble mit Barockschloss, Park und anderen Gebäuden aus der Gutsherrenzeit.

Unique far and wide is the fifteen-sided thatched Griebenow Church built in 1616. Masks surmount the wooden columns.

Den femkantiga korsvirkeskyrkan i Griesenow från år 1616 är unik i sitt slag. Träpelarna pryds av masker. Kyrkan tillhör en betydande ensemble av barockslott, park och byggnader från godsherrarnas tid.

Zu einem kulturellen Zentrum im Umfeld der Hansestadt entwickelt sich das von den Rehnschilds erbaute Griebenower Schloss, Zeugnis der Verbindungen Schwedens mit Pommern. Es wurde 1702 bis 1706 in den schlichten Formen des nordischen Barock errichtet.

The Griebenow Castle, built by the Rehnschilds, testifies for the union between Sweden and Pommern and came along into a cultural centre within the surroundings of the hanseatic city. The castle was built between 1702 and 1706 in the plain style of the nordic Baroque.

Till ett närbeläget kulturcentrum håller Griebenows slott på att utveckla sig. Det byggdes av Rehnschilds år 1702 – 1706 i enkel nordisk barockstil och vittnar om Sveriges anknytning till Pommern.

Die schönste Sicht auf Greifswald, der »Caspar-David-Friedrich-Blick«, bietet sich aus Richtung Stralsund.

Arriving from the direction of Stralsund the visitor gets the nicest view of Greifswald.

Den vackraste vyn över Greifswald har man från Stralsundhållet.